GW00771112

ISBN 978-2-211-07520-6
Première édition dans la collection *lutin poche* : mai 2004
© 2002, l'école des loisirs, Paris
Loi numéro 49 956 du 16 juillet 1949 sur les publications
destinées à la jeunesse : novembre 2002
Dépôt légal : juillet 2012
Imprimé en France par I.M.E. à Baume-les-Dames

jeanne AshBé

La nuit, on dort !

Pastel
lutin poche de l'école des loisirs
11, rue de Sèvres, Paris 6ᵉ

C'est l'histoire
d'un petit
bonhomme...

... qui, chaque nuit, empêchait ses parents de dormir sur leurs deux oreilles.

Au début, tout allait bien.
Le petit bonhomme n'était qu'un bébé.
Chaque nuit, il poussait à peine un petit cri,
ses parents accouraient,
lui parlaient doucement
et lui tendaient un biberon de lait chaud
que le petit bonhomme avalait d'un trait!

Tout le monde trouvait
normal qu'il ait faim
même la nuit :
il grandissait si vite !

Il grandit d'ailleurs
si bien qu'il se mit à faire
un tas de choses formidables:

manger des spaghettis...

enlever tout seul
ses chaussettes...

ou encore
faire des serpents
en pâte à modeler!

Ce n'était plus un bébé
du TOUT.
Sauf la nuit!
Ce petit bonhomme-là,
comme un bébé,
réclamait à grands cris
un biberon de lait chaud!

15

Et chaque nuit,
un papa ou
une maman,
de plus en plus
fatigués, accouraient
avec le biberon.

Ils accouraient depuis si longtemps,
ils devenaient si fatigués,
que parfois même,
ils faisaient des choses parfaitement
horribLes...

comme apporter le biberon après
TRÈS TRÈS longtemps et avec
une voix fâchée! Ou encore
arriver le MATIN
avec les sourcils froncés...

Quelle horreur!

se dit le petit bonhomme.

Mais moi, je veux un-papa-
et-une-maman-très-gentils-
même-la-nuit-comme-avant.

Nom d'un biberon,
une seule solution:
Redevenir un bébé!

Et la nuit suivante,
il pleura ENCORE
plus FORT!

Mais cette fois-là,
allez savoir
pourquoi, une chose
étonnante se passa:
la maman entra dans
la chambre sans le biberon
...
et en pleine forme!

Elle se mit à dire un tas de choses pas du tout comme d'habitude:

- Ma-a-a-man-an-an!
Mââa! Mêêêê!

Mais qu'est-ce que j'entends?
Une chèvre? Un chat?
C'est très bien ça!
Les petites chèvres et
les petits chats laissent
leurs parents dormir,
la nuit!

Ils savent, eux,
que
la nuit, on dort!

Elle dit cela et se pencha
au-dessus du lit de son petit
bonhomme. REMONTANT
la couette jusqu'à ses épaules,
elle ajouta :

—BONNE NUIT, MON PETIT
  bonhomme! Là, je suis
fatiguée. Je vais dormir
jusqu'à demain.
Parce que

La NUIT, ON DORT !

ET elle déposa sur sa joue
  un gros bisou
  qui claque.

C'est alors qu'une autre chose étonnante arriva: Soudain, le petit bonhomme se rappela qu'il était grand et qu'il pouvait faire un tas de choses formidables comme dire à sa Maman:

– Tu me donnes mon ou's Nounou?
'L'est là
su'le fauteuil.

– Ton ours? Sur le fauteuil? Ah, mais tu as raison, dit la Maman, quel grand garçon!

28

Et le petit bonhomme
cala son ours Nounou
tout doux dans son cou,
ferma les yeux........ et
s'endormit jusqu'au matin.
Chhhhhhhhhuuut...

Depuis ce jour,
dans cette maison,
chaque nuit, dorment
paisiblement un papa,
une maman et leur
petit-grand bonhomme!

Et chaque matin,
tous les TROIS,
en pleine forme,
commencent leur journée
avec un délicieux...
bol
de lait chaud !

... Tous les
TROIS ?